# Conte

# Jeden

pies

Tu jest jeden pies.

There is one dog.

sweter

Tu jest jeden sweter.

There is one jumper.

# Dwa

kot

Tu są dwa koty.

There are two cats.

but

Tu są dwa buty.

There are two shoes.

# Trzy

dziewczyna

Tu są trzy dziewczyny.

There are three girls.

krzesło

Tu są trzy krzesła.

There are three chairs.

# Cztery

ptak

Tu są cztery ptaki.

There are four birds.

poduszka

Tu są cztery poduszki.

There are four cushions.

# Pięć

zabawka

Tu jest pięć zabawek.

There are five toys.

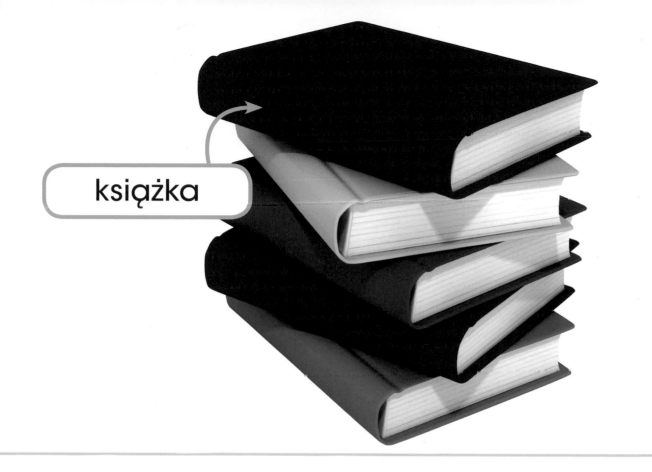

książka

Tu jest pięć książek.

There are five books.

# Sześć

płaszcz

Tu jest sześć płaszczy.

There are six coats.

ołówek

Tu jest sześć ołówków.

There are six pencils.

# Siedem

pomarańcza

Tu jest siedem pomarańczy.

There are seven oranges.

herbatnik

Tu jest siedem herbatników.

There are seven biscuits.

# Osiem

samochód

Tu jest osiem samochodów.

There are eight cars.

kapelusz

Tu jest osiem kapeluszy.

There are eight hats.

# Dziewięć

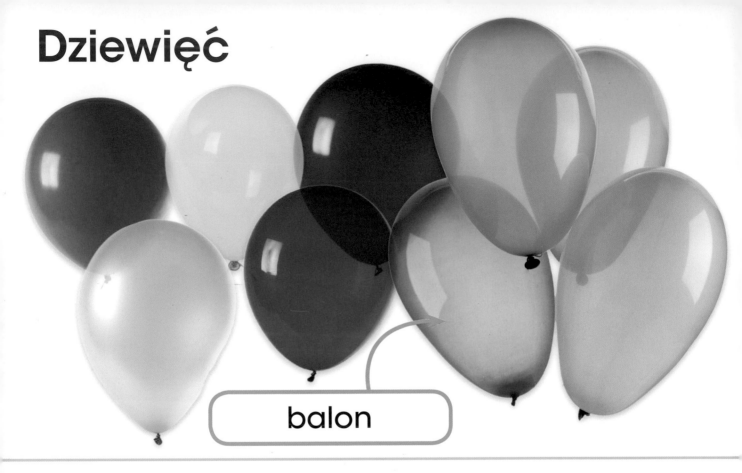

balon

Tu jest dziewięć balonów.

There are nine balloons.

świeca

Tu jest dziewięć świec.

There are nine candles.

# Dziesięć

jabłko

Tu jest dziesięć jabłek.

There are ten apples.

kwiat

Tu jest dziesięć kwiatów.

There are ten flowers.

# Dictionary

See words in the "How to say it" columns for a rough guide to pronunciations.

| Polish word | How to say it | English word |
| --- | --- | --- |
| balon / balonów | bah-lohn / bah-loh-noohv | balloon / balloons |
| but / buty | boot / boo-tih | shoe / shoes |
| cztery | chteh-rih | four |
| dwa | dfah | two |
| dziesięć | djieh-seeh-ts | ten |
| dziewczyna / dziewczyny | djie-fchih-nah / djie-fchih-nih | girl / girls |
| dziewięć | djie-fee-ts | nine |
| herbatnik / herbatników | her-baht-nick / her-baht-nickoohv | biscuit / biscuits |
| jabłko / jabłek | yahb-ckoh / yahb-vehk | apple / apples |
| jeden | yeh-dehn | one |
| kapelusz / kapeluszy | cu-pe-loosh / cu-pe-looshih | hat / hats |
| kot / koty | cot / cotih | cat / cats |
| krzesło / krzesła | ck-shes-whoh / ck-shes-wah | chair / chairs |
| książka / książek | ck-sion-sh-ckuh / ck-sion-shehck | book / books |
| kwiat / kwiatów | ckfih-aht / ckfih-ahtih | flower / flowers |
| ołówek / ołówków | oh-woo-veck / oh-woo-vckoohv | pencil / pencils |

| Polish word | How to say it | English word |
|---|---|---|
| osiem | oh-sehm | eight |
| pięć | peents | five |
| pies | pee-ehs | dog |
| płaszcz / płaszczy | pwah-sh-ch / pwah-sh-chih | coat / coats |
| poduszka / poduszki | poh-doosh-kah / poh-doosh-kih | cushion / cushions |
| pomarańcza / pomarańczy | poh-mah-rahn-chah / poh-mah-rahn-chih | orange / oranges |
| ptak / ptaki | p-tahk / p-tahkih | bird / birds |
| samochód / samochodów | sah-moh-hood / sah-moh-hoh-doov | car / cars |
| siedem | sih-eh-dehm | seven |
| sweter | sveh-tehr | jumper |
| świeca / świec | sih-vih-etsah / sih-vih-ets | candle / candles |
| sześć | sheh-sih-chi | six |
| trzy | t-shih | three |
| tu jest / tu są | too yehst / too sohm | there is / there are |
| zabawka / zabawek | zah-bahv-kah / zah-bahv-ehk | toy / toys |

# Index

**Notes for parents and teachers**
Polish does not use articles (for example, "a", and "an") which is why there is no polish word for "a". In Polish, numerals from five onwards use verbs in their singular form. This is why the words "Tu są" are used for numbers 2, 3, and 4, and the words "Tu jest" are used for numbers 5 and above.